YOU
NEVER
WALK
ALONE

YOU
NEVER
WALK
ALONE

Intro : Boy Meets Evil 2'02" ······························ 01

어두워져 가 내 미래의 빛
치기 어린 사랑에 잃은 꿈의 길
내 야망의 독기 매일 칼을 갈았지
But 참을 수 없는 내 욕심에 칼은 무뎌져
알고 있어 다
이 사랑은 악마의 또 다른 이름
손을 잡지 마
외쳤지만 저버렸지 내 양심을
날이 갈수록 느끼는 날카로운 현실들
현실에 찢겨 붉게 묻은 피들
생각 못했지
그 욕심이 지옥을 부르는 나팔이 될 지는

BREATH

숨이 차오르고
뒤틀린 현실에 눈 감는 매일 밤
울리는 비극의 오르골
But 이 죄를 벗기엔
그걸 잊는 게 당최 포기가 안돼
그 입술이 너무 달콤했기에
연애에 취해서 버려진 미래
깨어나고 볼 땐 이미 사방엔 지뢰
건드릴 수 없는 매서운 주위의 시선들
기적을 외쳐 이 현실에
(Rewind)
미치도록 좋았지
달콤함에 중독된 병신
그래 병신
놓치긴 싫었어 악마의 손길을

Too bad but it's too sweet
It's too sweet it's too sweet
Too bad but it's too sweet
It's too sweet it's too sweet

Too bad but it's too sweet
It's too sweet it's too sweet
Too bad but it's too sweet
It's too sweet it's too sweet

It's too evil
It's too evil
It's too evil
Yeah it's evil..

Produced by
Pdogg
(Pdogg, j-hope, Rap Monster)

Keyboard
Pdogg

Synthesizer
Pdogg

Rap Arrangement
Pdogg, Supreme Boi

Recording Engineer
Pdogg @ Dogg Bounce
Supreme Boi @ The Supreme Escape

Mix Engineer
Yang Ga @ Big Hit Studio

피 땀 눈물 3'33" 02

내 피 땀 눈물 내 마지막 춤을 다 가져가 가
내 피 땀 눈물 내 차가운 숨을 다 가져가 가
내 피 땀 눈물

내 피 땀 눈물도
내 몸 마음 영혼도
너의 것인 걸 잘 알고 있어
이건 나를 벌받게 할 주문

Peaches and cream
Sweeter than sweet
Chocolate cheeks
and chocolate wings
But 너의 날개는 악마의 것
너의 그 sweet 앞엔 bitter bitter
Kiss me 아파도 돼 어서 날 조여줘
더 이상 아플 수도 없게
Baby 취해도 돼 이제 널 들이켜
목 깊숙이 너란 위스키

내 피 땀 눈물 내 마지막 춤을 다 가져가 가
내 피 땀 눈물 내 차가운 숨을 다 가져가 가

원해 많이 많이 많이 많이
원해 많이 많이 많이 많이 많이 많이
원해 많이 많이 많이 많이
원해 많이 많이 많이 많이 많이 많이

아파도 돼 날 묶어줘 내가 도망칠 수 없게
꽉 쥐고 날 흔들어줘 내가 정신 못 차리게
Kiss me on the lips lips 둘만의 비밀
너란 감옥에 중독돼 깊이
니가 아닌 다른 사람 섬기지 못해
알면서도 삼켜버린 독이 든 성배

내 피 땀 눈물 내 마지막 춤을 다 가져가 가
내 피 땀 눈물 내 차가운 숨을 다 가져가 가

원해 많이 많이 많이 많이
원해 많이 많이 많이 많이 많이 많이
원해 많이 많이 많이 많이
원해 많이 많이 많이 많이 많이 많이

나를 부드럽게 죽여줘
너의 손길로 눈 감겨줘
어차피 거부할 수조차 없어
더는 도망갈 수조차 없어
니가 너무 달콤해 너무 달콤해
너무 달콤해서

내 피 땀 눈물
내 피 땀 눈물

Produced by
Pdogg
(Pdogg, Rap Monster, SUGA, j-hope,
"hitman"bang, 김도훈)

Keyboard
Pdogg

Synthesizer
Pdogg

Chorus
Jung kook, Jimin

Vocal & Rap Arrangement
Pdogg

Recording Engineer
Pdogg @ Dogg Bounce

Mix Engineer
James F. Reynolds @ Schmuzik Studios

Begin 3'51" 03

아무것도 없던 열다섯의 나
세상은 참 컸어 너무 작은 나
이제 난 상상할 수도 없어
향기가 없던 텅 비어있던 나 나
I pray

Love you my brother 형들이 있어
감정이 생겼어 나 내가 됐어
So I'm me
Now I'm me

You make me begin
You make me begin
You make me begin
(Smile with me, smile with me,
smile with me)
You make me begin
(Smile with me, smile with me)

참을 수가 없어
울고 있는 너
대신 울고 싶어
할 순 없지만

You make me begin
You make me begin
You make me begin
(Cry with me, cry with me, cry with me)
You make me begin
(Cry with me, cry with me)

죽을 것 같아 형이 슬프면
형이 아프면 내가 아픈 것보다 아파

Brother let's cry, cry 울고 말자
슬픔은 잘 모르지만 그냥 울래
Because, because

You made me again
You made me again
You made me again
(Fly with me, fly with me, fly with me)
You made me again
(Fly with me, fly with me)

You make me begin
You made me again

Produced by
Tony Esterly
(Tony Esterly, David Quinones,
Rap Monster)

Synthesizer
Tony Esterly

Bass
Tony Esterly

Programming
Tony Esterly

Chorus
Jung kook

Vocal Arrangement
Slow Rabbit

Recording Engineer
Slow Rabbit @ Carrot Express

Mix Engineer
Sam Klempner @ Schmuzik Studios in London

CH

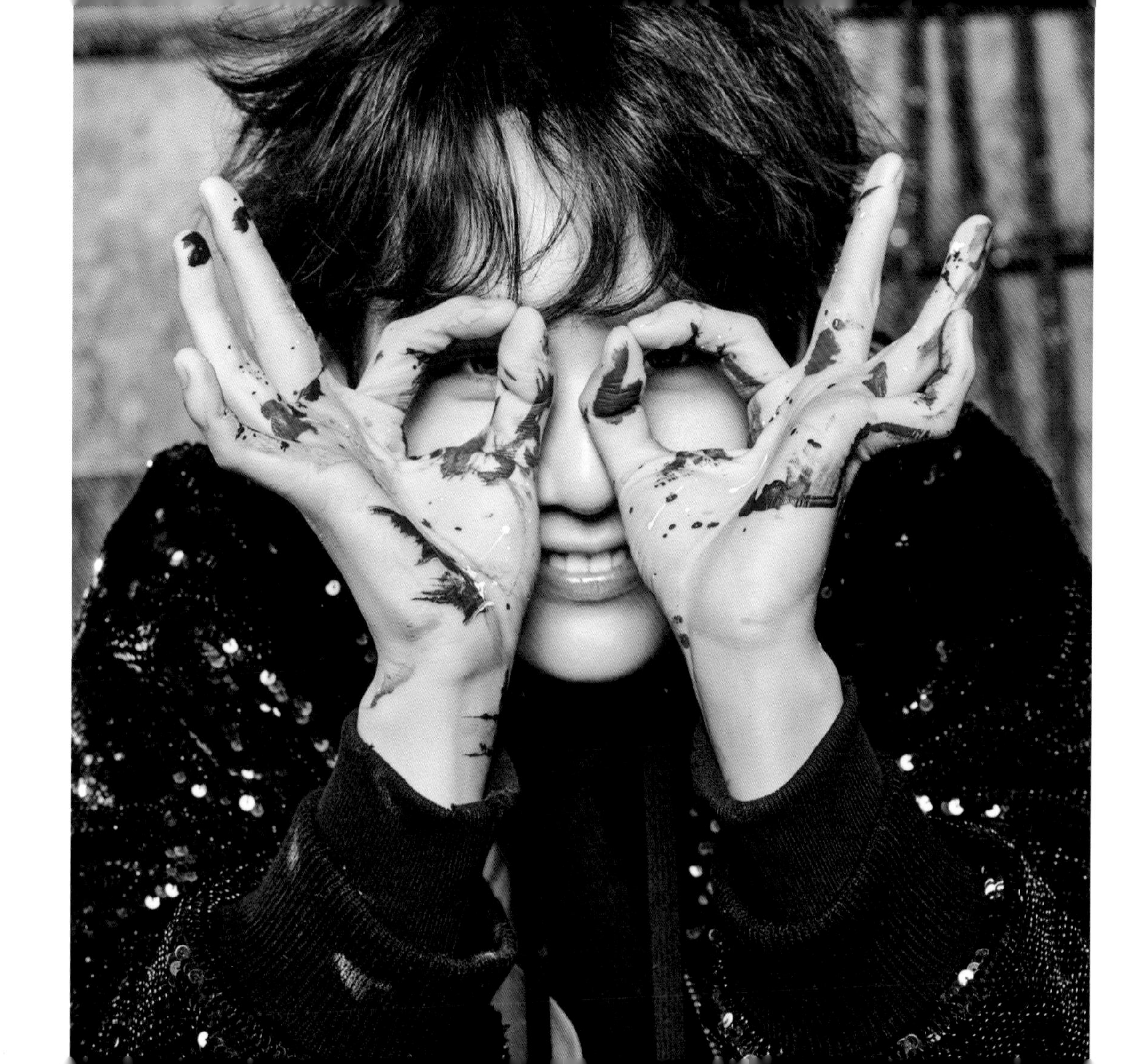

Lie 3'37" 04

내게 말해
너의 달콤한 미소로 내게
내게 말해
속삭이듯 내 귓가에 말해
Don't be like a prey
(Be) Smooth like a like a snake
벗어나고 싶은데

(Ah woo woo)
내게서 떠나 떠나 떠나줘
내게서 떠나 떠나줘
(Ah woo woo)
뭐라도 나를 나를 구해줘
나를 구해줘

계속돼 도망쳐봐도
거짓 속에 빠져있어

Caught in a lie
순결했던 날 찾아줘
이 거짓 속에 헤어날 수 없어
내 웃음을 돌려놔줘

Caught in a lie
이 지옥에서 날 꺼내줘
이 고통에서 헤어날 수 없어
벌받는 나를 구해줘

나를 원해
길을 잃고 헤매이는
나를 원해
매일 그랬듯 나

I feel so far away
You always come my way
또 다시 반복돼 난

(Ah woo woo)
내게서 떠나 떠나 떠나줘
내게서 떠나 떠나줘
(Ah woo woo)
뭐라도 나를 나를 구해줘
나를 구해줘

계속돼 도망쳐봐도
거짓 속에 빠져있어

Caught in a lie
순결했던 날 찾아줘
이 거짓 속에 헤어날 수 없어
내 웃음을 돌려놔줘

Caught in a lie
이 지옥에서 날 꺼내줘
이 고통에서 헤어날 수 없어
벌받는 나를 구해줘

아직 나는 여전히 똑같은 나인데
예전과 똑같은 나는 여기 있는데
너무나 커져버린 거짓이 날 삼키려 해

Caught in a lie
순결했던 날 찾아줘
이 거짓 속에 헤어날 수 없어
내 웃음을 돌려놔줘

Caught in a lie
이 지옥에서 날 꺼내줘
이 고통에서 헤어날 수 없어
벌받는 나를 구해줘

Produced by
DOCSKIM
(DOCSKIM, SUMIN, "hitman"bang,
Jimin, Pdogg)

Piano/Synthesizer/Bass
DOCSKIM

Electric Guitar
김승현

Acoustic Guitar
박주원

String Arrangement
신민, DOCSKIM

String
융스트링

Chorus
SUMIN, 조형원

Vocal Arrangement
SUMIN, DOCSKIM, Pdogg

Recording Engineer
정우영 @ Big Hit Studio
Pdogg @ Dogg Bounce
DOCSKIM @ HOODCAVE
노양수, 백경훈 @ Studio T

Mix Engineer
Bob Horn @ Echo Bar STUDIO in N.Hollywood

* This song contains an interpolation from "La Vida Breve" by Manuel de Falla.

Stigma 3'39" 05

숨겨왔어 I tell you something
그저 묻어두기엔
이젠 버틸 수가 없는 걸
왜 그땐 말 못 했는지
어차피 아파와서
정말 버틸 수가 없을 걸

Now cry 너에게 너무 미안할 뿐야
또 cry 널 지켜주지 못해서

더 깊이 더 깊이 상처만 깊어져
되돌릴 수 없는 깨진 유리 조각 같아
더 깊이 매일이 가슴만 아파져
내 죄를 대신 받던
연약하기만 했던 너

그만 울고 tell me something
용기 없던 내게 말해봐
"그 때 나한테 왜 그랬어?"
"미안"

됐어 내게 무슨 자격 있어
이래보라고 저래보라고
너에게 말하겠어

더 깊이 더 깊이 상처만 깊어져
되돌릴 수 없는 깨진 유리 조각 같아
더 깊이 매일이 가슴만 아파져
내 죄를 대신 받던
연약하기만 했던 너

I'm sorry, I'm sorry, I'm sorry
ma brother
숨겨도 감춰도 지워지지 않어
"Are you calling me a sinner?"
무슨 말이 더 있겠어

I'm sorry, I'm sorry, I'm sorry
ma sister
숨겨도 감춰도 지워지지 않어
So cry
Please dry my eyes

저 빛이 저 빛이 내 죄를 비춰줘
돌이킬 수 없는 붉은 피가 흘러내려
더 깊이 매일이 죽을 것만 같아
그 벌을 받게 해줘
내 죄를 사해줘
제발

Produced by
Philtre
(Philtre, V, Slow Rabbit, "hitman"bang)

Keyboard
Philtre

Synthesizer
Philtre

Chorus
JUNE, V

Guitar
정재필

Vocal Arrangement
Slow Rabbit

Recording Engineer
Slow Rabbit @ Carrot Express
정우영 @ Big Hit Studio
JUNE @ Imagine World

Mix Engineer
고현정 @ Koko Sound Studio
(Assisted by 김경환)

First Love 3'04" 06

내 기억의 구석
한 켠에 자리잡은 갈색 piano
어릴 적 집 안의 구석
한 켠에 자리잡은 갈색 piano

그때 기억해 내 키보다 훨씬 더 컸던
갈색 piano 그게 날 이끌 때
널 우러러보며 동경했었네
작은 손가락으로 널 어루만질 때
"I feel so nice, mom I feel so nice"
그저 손 가던 대로 거닐던 건반
그땐 너의 의미를 몰랐었네
바라보기만 해도 좋았던 그때

그때 기억해 초등학교 무렵
내 키가 너의 키보다 더 커졌던 그때
그토록 동경했던 널 등한시하며
백옥 같던 건반 그 위 먼지가 쌓여가며
방치됐던 니 모습 그때도 몰랐었지
너의 의미 내가 어디 있든 항상 넌 그 자릴
지켰으니 그런데 그게 마지막이 될 줄 몰랐네
이대론 가지 마 you say..

"내가 떠나도 걱정은 하지 마
넌 스스로 잘 해낼 테니까
널 처음 만났던 그때가 생각나
어느새 훌쩍 커버렸네 니가
우리 관계는 마침표를 찍지만
절대 내게 미안해 하지 마
어떤 형태로든 날 다시 만나게 될 거야
그때 반갑게 다시 맞아줘"

그때 기억해 까맣게 잊고 있었던
널 다시 마주했던 때 14살 무렵
어색도 잠시 다시 널 어루만졌지
긴 시간 떠나있어도 절대 거부감 없이
날 받아줬던 너
without you there's nothing
새벽을 지나서 둘이서 함께 맞는 아침
영원히 너는 나의 손을 놓지 마
나도 다시 널 놓지 않을 테니까

그때 기억해 나의 십대의 마지막을
함께 불태웠던 너 그래 한 치 앞도
뵈지 않던 그때 울고, 웃고
너와 함께여서 그 순간조차 이제는 추억으로
박살난 어깰 부여잡고 말했지
나 더 이상은 진짜 못하겠다고
포기하고 싶던 그때마다 곁에서 넌 말했지
새꺄 너는 진짜 할 수 있다고
그래 그래 그때 기억해 지치고 방황했었던
절망의 깊은 수렁에 빠졌던 그때
내가 널 밀어내고 널 만난 걸 원망해도
넌 꿋꿋이 내 곁을 지켰지 말 안 해도
그러니 절대 너는 내 손을 놓지 마
두 번 다시 내가 널 놓지 않을 테니까
나의 탄생 그리고 내 삶의 끝
그 모든 걸 지켜볼 너일 테니까

내 기억의 구석
한 켠에 자리잡은 갈색 piano
어릴 적 집 안의 구석
한 켠에 자리잡은 갈색 piano

Produced by
MISS KAY, SUGA
(MISS KAY, SUGA)

Keyboard/Synthesizer
MISS KAY

Chorus
JUNE

Guitar
정재필

Bass
이주영

String Arrangement
신민, MISS KAY

String
융스트링

Rap Arrangement
SUGA

Recording Engineer
SUGA @ Genius Lab
정우영 @ Big Hit Studio
노양수, 백경훈 @ Studio T
JUNE @ Imagine World

Mix Engineer
Ken Lewis for www.ProToolsMixing.com

Reflection 3'56" 07

I know
Every life's a movie
We got different stars and stories
We got different nights and mornings
Our scenarios ain't just boring
나는 이 영화가 너무 재밌어
매일매일 잘 찍고 싶어
난 날 쓰다듬어주고 싶어
날 쓰다듬어주고 싶어
근데 말야 가끔 나는 내가 너무너무 미워
사실 꽤나 자주 나는 내가 너무 미워
내가 너무 미울 때 난 뚝섬에 와
그냥 서 있어, 익숙한 어둠과
웃고 있는 사람들과 나를 웃게 하는 beer
슬며시 다가와서 나의 손을 잡는 fear
괜찮아 다 둘셋이니까
나도 친구가 있음 좋잖아

세상은 절망의 또 다른 이름
나의 키는 지구의 또 다른 지름
나는 나의 모든 기쁨이자 시름
매일 반복돼 날 향한 좋고 싫음
저기 한강을 보는 친구야
우리 옷깃을 스치면 인연이 될까
아니 우리 전생에 스쳤을지 몰라
어쩜 수없이 부딪혔을지도 몰라
어둠 속에서 사람들은 낮보다 행복해 보이네
다들 자기가 있을 곳을 아는데
나만 하릴없이 걷네
그래도 여기 섞여있는 게 더 편해
밤을 삼킨 뚝섬은 나에게 전혀 다른 세상을 건네
나는 자유롭고 싶다
자유에게서 자유롭고 싶다
지금은 행복한데 불행하니까
나는 나를 보네
뚝섬에서

I wish I could love myself
I wish I could love myself
I wish I could love myself
I wish I could love myself

I wish I could love myself
I wish I could love myself
I wish I could love myself
I wish I could love myself

Produced by
Rap Monster, Slow Rabbit
(Rap Monster, Slow Rabbit)

Keyboard
Rap Monster, Slow Rabbit

Synthesizer
Rap Monster, Slow Rabbit

Chorus
Rap Monster

Rap Arrangement
Rap Monster

Recording Engineer
Rap Monster @ Mon Studio

Mix Engineer
Ken Lewis for www.ProToolsMixing.com

MAMA 3'35" 08

Time travel 2006년의 해
춤에 미쳐 엄마 허리띠를 졸라맸지
아빠 반대에도 매일 달려들 때
아랑곳하지 않고 띄워주신 꿈의 조각배
But 몰랐지 엄마의 큰 보탬이
펼쳐 있는 지름길 아닌
빚을 쥔 이 꿈의 길
(Always) 문제의 money 어머닌 결국
(Go away) 타지로 일하러 가셨어

전화로
듣는 엄마의 목소리는 선명하고
기억나는 건
그때 엄마의 강인함이 내겐 변화구
정말로
꼭 성공해야겠다고 결심하고
그 다짐 하나로
지금의 아들로

Hey mama
이젠 내게 기대도 돼 언제나 옆에
Hey mama
내게 아낌없이 주셨기에 버팀목이었기에
Hey mama
이젠 아들내미 믿으면 돼 웃으면 돼
Hey mama
Hey mama

Hey mama
I'm sorry mama
하늘같은 은혜 이제 알아서 mama

Hey mama
So thanks mama
내게 피와 살이 되어주셔서 mama

기억해 mom?
문흥동 히딩크 pc방, 브로드웨이 레스토랑
가정 위해 두 발 뛰는 베테랑
실패는 성공의 어머니 어머니
그런 열정과 성심을 배워
Wanna be wanna be
이제 나도 어른이 될 때
새싹에 큰 거름이 되었기에
꽃이 되어 그대만의 꽃길이 될게
You walking on way way way

Hey mama
이젠 내게 기대도 돼 언제나 옆에
Hey mama
내게 아낌없이 주셨기에 버팀목이었기에
Hey mama
이젠 아들내미 믿으면 돼 웃으면 돼
Hey mama
Hey mama

세상을 느끼게 해준
그대가 만들어준 숨
오늘따라 문득
더 안고 싶은 품
땅 위 그 무엇이 높다 하리오
하늘 밑 그 무엇이 넓다 하리오
오직 하나 엄마 손이 약손
그대는 영원한 나만의 placebo

I love mom

Hey mama
이젠 내게 기대도 돼 언제나 옆에
Hey mama
내게 아낌없이 주셨기에 버팀목이었기에
Hey mama
이젠 아들내미 믿으면 돼 웃으면 돼
Hey mama
Hey mama

Hey mama
이젠 내게 기대도 돼 언제나 옆에
Hey mama
내게 아낌없이 주셨기에 버팀목이었기에
Hey mama
이젠 아들내미 믿으면 돼 웃으면 돼
Hey mama
Hey mama

Produced by
Primary, Pdogg
(Primary, Pdogg, j-hope)

Keyboard
Primary, Pdogg

Synthesizer
Primary, Pdogg

Rhythm Programming
Pdogg

Scratch
DJ Friz

Chorus
JUNE, j-hope, Joy Malcolm,
Phebe (Althea) Edwards

Gang vocal
BTS

Rap & Vocal Arrangement
Pdogg, Supreme Boi

Recording Engineer
Pdogg @ Dogg Bounce
Supreme Boi @ The Supreme Escape
Sam Klempner @ Schmuzik Studios in London
JUNE @ Imagine World

Mix Engineer
Ken Lewis for www.ProToolsMixing.com

Awake 3'35" 09

믿는 게 아냐
버텨보는 거야
할 수 있는 게
나 이것뿐이라서

머물고 싶어
더 꿈꾸고 싶어
그래도 말야
떠날 때가 됐는걸

Yeah it's my truth
It's my truth
온통 상처투성이겠지
But it's my fate
It's my fate
그래도 발버둥치고 싶어

Maybe I, I can never fly
저기 저 꽃잎들처럼
날갤 단 것처럼은 안 돼
Maybe I, I can't touch the sky
그래도 손 뻗고 싶어
달려보고 싶어 조금 더

이 어둠 속을 그냥 걷고 또 걷고 있어
행복했던 시간들이 내게 물었어
너 넌 정말 괜찮은 거냐고
Oh no
난 대답했어 아니 나는 너무 무서워
그래도 여섯 송이 꽃을 손에 꼭 쥐고
나 난 걷고 있을 뿐이라고
Oh no

But it's my fate
It's my fate
그래도 발버둥치고 싶어

Maybe I, I can never fly
저기 저 꽃잎들처럼
날갤 단 것처럼은 안 돼
Maybe I, I can't touch the sky
그래도 손 뻗고 싶어
달려보고 싶어 조금 더

Wide awake Wide awake Wide awake
Don't cry
Wide awake Wide awake Wide awake
No lie
Wide awake Wide awake Wide awake
Don't cry
Wide awake Wide awake Wide awake
No lie

Maybe I, I can never fly
저기 저 꽃잎들처럼
날갤 단 것처럼은 안 돼
Maybe I, I can't touch the sky
그래도 손 뻗고 싶어
달려보고 싶어
조금 더

Produced by
Slow Rabbit
(Slow Rabbit, Jin, j-hope, JUNE, Pdogg,
Rap Monster, "hitman"bang)

Keyboard
Slow Rabbit

Synthesizer
Slow Rabbit

Chorus
이신성, JUNE

Guitar
정재필

Bass
이주영

String Arrangement
안수완

String
융스트링

Vocal Arrangement
Slow Rabbit

Recording Engineer
Slow Rabbit @ Carrot Express
정우영 @ Big Hit Studio
노양수, 백경훈 @ Studio T

Mix Engineer
Bob Horn @ Echo Bar STUDIO in N.Hollywood

Lost 4'01" 10

눈을 감고 아직 여기 서 있어
사막과 바다 가운데 길을 잃고서
여전히 헤매고 있어 어디로 가야 할지 yeah
이리도 많을 줄 몰랐어
가지 못한 길도 갈 수 없는 길도
I never felt this way before
어른이 되려는지

난 너무 어려운 걸 이 길이 맞는지
정말 너무 혼란스러 never leave me alone
그래도 믿고 있어 믿기지 않지만
길을 잃는단 건
그 길을 찾는 방법

Lost my way
쉴 새 없이 몰아치는 거친 비바람 속에
Lost my way
출구라곤 없는 복잡한 세상 속에
Lost my way
Lost my way
수없이 헤매도 난 나의 길을 믿어볼래

Lost my way
Found my way
Lost my way
Found my way

어디로 가는 개미를 본 적 있어?
단 한 번에 길을 찾는 법이 없어
수없이 부딪히며 기어가는
먹일 찾기 위해 며칠이고 방황하는
(You know)
쓸모 있어 이 좌절도
난 믿어 우린 바로 가고 있어
언젠가 우리가 찾게 되면
분명 한 번에 집으로 와
개미처럼

아직은 어려운 걸 이 길이 맞는지
정말 너무 혼란스러
don't you leave me alone
그래도 믿고 싶어 믿기지 않지만
길을 잃는단 건
그 길을 찾는 방법

Lost my way
쉴 새 없이 몰아치는 거친 비바람 속에
Lost my way
출구라곤 없는 복잡한 세상 속에
Lost my way
Lost my way
수없이 헤매도 난 나의 길을 믿어볼래

(So long) 기약 없는 희망이여 이젠 안녕
(So long) 좀 느려도 내 발로 걷겠어
이 길이 분명 나의 길이니까
돌아가도 언젠가 닿을 테니까
I never I will never
I will never lose my dream

Lost my way
쉴 새 없이 몰아치는 거친 비바람 속에
Lost my way
출구라곤 없는 복잡한 세상 속에
Lost my way
Lost my way
수없이 헤매도 난 나의 길을 믿어볼래

Lost my way
Found my way
Lost my way
Found my way

Produced by
Pdogg
(Pdogg, Supreme Boi, Peter Ibsen, Richard Rawson, Lee Paul Williams, Rap Monster, JUNE)

Keyboard
Pdogg

Synthesizer
Pdogg

Chorus
Jung kook

Vocal Arrangement
Slow Rabbit

Recording Engineer
Slow Rabbit @ Carrot Express

Mix Engineer
Yang Ga @ Big Hit Studio

"이름, 이름!" Sorry bae
"발음, 발음!" Sorry bae
"딕션, 딕션, 딕션!" Sorry bae
"Oh, face not an idol.." Sorry bae
숨쉬고 있어서 I'm sorry bae
너무 건강해서 I'm sorry bae
방송합니다 I'm sorry bae
Errthing errthing errthing..
Sorry bae
지금 내가 내는 소리 bae
누군가에겐 개소리 bae
까는 패턴 좀 바꾸지 bae
지루해질라캐 boring bae
이젠 니가 안 미워
이젠 니가 안 미워 sorry bae
북이 돼줄게 걍 쎄게 치고 말어
그래 해보자 사물놀이 bae
난 괴물, 너무 길어 꼬리 bae
어차피 넌 날 쏘지 bae
그럴 바엔 편해 동물원이 bae
너도 원하잖아 씹을거리 bae
니가 날 싫어해도 YOU KNOW ME
니가 날 싫어해도 YOU KNOW ME
무플보단 악플이 좋아
난 널 몰라
BUT YOU KNOW MY NAME

I love I love I love myself
I love I love I love myself
I know I know I know myself
Ya playa haters you should love yourself
brr

I wanna get 잠 time
쉴 틈 없이 받는 spotlight
Ahh you wanna be my life?
굶주린 놈들은 내 총알받이나 해
곱게 접해 내 멋대로 도배된
무대로 연행 다 결백 (Okay)
But 만족 못해 절대 여기에
나 올라 저 위에 높게 높게 높게
그래 방식은 다르지
곱씹어도 가는 길
한 땀씩 바느질
못 할 거면 매듭지어
이젠 안 돼 가능이
포기라는 발음이

I love ma rule 내 bro들과 하는 일
그들만의 리그의 플레이어
난 그 위 감독이 될 테니
다 될 대로해
1VERSE에 이어 난 더 큰 그림을 그릴 테니
평생 그 위치에서 쭉 외쳐봐라
'Dream come true'
명예와 부는 그게 아냐 you
다 결국 내 발바닥 츄
클릭해, 난 cat 다 mouse
골라 X 쳐 like KAWS
난 내년 입주 ma house
에서 내 brick과 high fifive
눈뜨고 봐라 내 야망
귀 대고 들어라 처음이자 마지막이 될 말

I love I love I love myself
I love I love I love myself
I know I know I know myself
Ya playa haters you should love yourself
brr

Back back to the basic
microphone check
Call me 뱁새 혹은 쎈캐
그래 rap game에 난 대인배
되게 해이해졌던 rap man들을 갱생하는 게
내 첫 번째의 계획 hashtag
Sucka betta run 그리고 인스타 속 gang
gang
그건 걔 인생이고 내 인생은 뭐 매일매일
Payday, paycheck 손목 위엔 ROLEX
Click clack to the bang bang
Click clack to the pow
I'm so high 어딜 넘봐
니가 도움닫기를 해도 손 닿기엔 높아

꽤나 먼 차이 절대 못 봐
너의 똥차들의 콩깍지를 몽땅 벗겨놓은 다음
죄다 농락한 뒤 송장이 된 면상 위를 so fly
Click clack to the bang, you and you
쉽게 얻은 게 하나도 없음에 늘 감사하네
니 인생이 어중간한 게 왜 내 탓이야
계속 그렇게 살아줘 적당하게
미안한데 앞으로 난 더 벌 건데 지켜봐줘
부디 제발 건강하게

I love I love I love myself
I love I love I love myself
I know I know I know myself
Ya playa haters you should love yourself
brr

I love I love I love myself
I love I love I love myself
I know I know I know myself
Ya playa haters you should love yourself
brr

Produced by
C. "Tricky" Stewart and Spanker
for RedZone Entertainment
(C. "Tricky" Stewart, Spanker,
Rap Monster, j-hope, SUGA, Pdogg)

All Instruments
C. "Tricky" Stewart, Spanker

Additional Programming
Pdogg

Rap Arrangement
Rap Monster, Pdogg, Supreme Boi

Recording Engineer
Supreme Boi @ The Supreme Escape
Rap Monster @ Mon Studio

Mix Engineer
Jaycen Joshua for The Penua Project @
Larrabee Sound Studios,
North Hollywood CA
(Assisted by Maddox Chhim & David Nakaj)

Am I Wrong 3'33" 12

The world's goin' crazy
넌 어때 how bout ya
You think it is okay?
난 좀 아닌 것 같어
귀가 있어도 듣질 않어
눈이 있어도 보질 않어
다 마음에 물고기가 살어
걔 이름 SELFISH SELFISH

우린 다 개 돼지 화나서 개 되지
황새 VS 뱁새 전쟁이야 ERRDAY
미친 세상이 yeah
우릴 미치게 해
그래 우린 다 CRAZY
자 소리질러 MAYDAY MAYDAY

온 세상이 다 미친 것 같아 끝인 것 같아
Oh why (Oh why)
Oh why (Oh why)
Oh why why why why
(OH MY GOD)

(Am I Wrong)
내가 뭐 틀린 말했어
내가 뭐 거짓말했어
Going crazy (미쳤어 미쳤어)
Crazy (미쳤어 미쳤어)
Am I Wrong
Am I Wrong
어디로 가는지
세상이 미쳐 돌아가네

Are you ready for this
Are you ready for this
Are you ready for this
(NO I'M NOT)

그램마 니가 미친겨
미친 세상에 안 미친 게 미친겨
온 천지 사방이 HELL YEAH
온라인 오프라인이 HELL YEAH

뉴스를 봐도 아무렇지 않다면
그 댓글이 아무렇지 않다면
그 증오가 아무렇지 않다면
넌 정상 아닌 게 비정상

온 세상이 다 미친 것 같아 끝인 것 같아
Oh why (Oh why)
Oh why (Oh why)
Oh why why why why
(OH MY GOD)

(Am I Wrong)
내가 뭐 틀린 말했어
내가 뭐 거짓말했어
Going crazy (미쳤어 미쳤어)
Crazy (미쳤어 미쳤어)
Am I Wrong
Am I Wrong
어디로 가는지
세상이 미쳐 돌아가네

미친 세상 길을 잃어도
아직은 더 살고 싶어
찾고 싶어 나의 믿음을

(Am I Wrong)
내가 뭐 틀린 말했어
내가 뭐 거짓말했어
Going crazy (미쳤어 미쳤어)
Crazy (미쳤어 미쳤어)
Am I Wrong
Am I Wrong
어디로 가는지
세상이 미쳐 돌아가네

Are you ready for this
Are you ready for this
Are you ready for this

Original Title : Am I Wrong
Original Writer : Kevin Moore

Produced by
Sam Klempner, James Reynolds, Josh Wilkinson
(Sam Klempner, James Reynolds, Josh Wilkinson, Rap Monster,
Supreme Boi, 개코, Pdogg, ADORA)

Guitar
Jamie Humphries

Harmonica
James Reynolds

Bass/ Drums
Sam Klempner

Programming
Josh Wilkinson

Additional Vocals
Sam Klempner

Chorus
Jung kook

Rap Arrangement
Pdogg, Supreme Boi

Vocal Arrangement
Slow Rabbit

Recording Engineer
Slow Rabbit @ Carrot Express
Pdogg @ Dogg Bounce
Supreme Boi @ The Supreme Escape

Mix Engineer
Sam Klempner @ Schmuzik Studios in London

You worth it you perfect
Deserve it just work it
넌 귀티나 귀티 또 pretty야 pretty
빛이나 빛이 넌 진리이자 이치

혹시 누가 너를 자꾸 욕해 (욕해)
Tell em you're my lady 가서 전해 (전해)
딴 놈들이 뭐라건 이 세상이 뭐라건
넌 내게 최고 너 그대로

절대 쫄지 말아
누가 뭐래도 넌 괜찮아 (Alright)
강해 너는 말야
You say yes or no yes or no

20세기 소녀들아
(Live your life, live your life,
come on baby)
21세기 소녀들아
(You don't mind, you don't mind,
that new lady)
말해 너는 강하다고
말해 넌 충분하다고
Let you go let you go let you go
Let it go oh

All my ladies put your hands up
21세기 소녀 hands up
All my ladies put your hands up
Now scream

너 지나가네 남자들이 say
"Oh yeah 재 뭐야 대체 누구야?"
넋이 나가네 여자들이 say
"어 얘는 또 뭐야 대체 누구야?"
(Oh bae) 절대 낮추지 마
(Okay) 재들에 널 맞추진 마
(You're mine) 넌 충분히 아름다워
Don't worry don't worry baby
you're beautiful
You You You

20세기 소녀들아
(Live your life, live your life,
come on baby)
21세기 소녀들아
(You don't mind, you don't mind,
that new lady)
말해 너는 강하다고
말해 넌 충분하다고
Let you go let you go let you go
Let it go oh

All my ladies put your hands up
21세기 소녀 hands up
All my ladies put your hands up
Now scream

Everybody wanna love you
Everybody gonna love you
다른 건 걱정하지 마
Everybody wanna love you bae
Everybody gonna love you bae
넌 사랑 받아 마땅해

All my ladies put your hands up
21세기 소녀 hands up
All my ladies put your hands up
Now scream

All my ladies put your hands up
21세기 소녀 hands up
All my ladies put your hands up
Now scream

Produced by
Pdogg
(Pdogg, "hitman"bang, Rap Monster,
Supreme Boi)

Keyboard
Pdogg

Synthesizer
Pdogg

Chorus
Jung kook

Vocal Arrangement
Slow Rabbit

Rap Arrangement
Pdogg, Supreme Boi

Recording Engineer
Slow Rabbit @ Carrot Express
Pdogg @ Dogg Bounce
Supreme Boi @ The Supreme Escape

Mix Engineer
Ken Lewis for www.ProToolsMixing.com

둘! 셋! (그래도 좋은 날이 더 많기를) 4'38" 14

꽃길만 걷자
그런 말은 난 못해
좋은 것만 보자
그런 말도 난 못해
이제 좋은 일만 있을 거란 말
더는 아프지도 않을 거란 말
그런 말 난 못해
그런 거짓말 못해

너넨 아이돌이니까 안 들어도 구리겠네
너네 가사 맘에 안 들어 안 봐도 비디오네
너넨 힘 없으니 구린 짓 분명히 했을텐데
너네 하는 짓들 보니 조금 있음 망하겠네
(Thank you so much) 니들의 자격지심
덕분에 고딩 때도 못한 증명 해냈으니
박수 짝짝 그래 계속 쭉 해라 쭉
우린 우리끼리 행복할게
Good yeah i'm good

괜찮아 자 하나 둘 셋 하면 잊어
슬픈 기억 모두 지워 내 손을 잡고 웃어
괜찮아 자 하나 둘 셋 하면 잊어
슬픈 기억 모두 지워 서로 손을 잡고 웃어

그래도 좋은 날이 앞으로 많기를
내 말을 믿는다면 하나 둘 셋
믿는다면 하나 둘 셋
그래도 좋은 날이 훨씬 더 많기를
내 말을 믿는다면 하나 둘 셋
믿는다면 하나 둘 셋

하나 둘 셋
하면 모든 것이 바뀌길
더 좋은 날을 위해
우리가 함께이기에

무대 뒤 그림자 속의 나, 어둠 속의 나
아픔까지 다 보여주긴 싫었지만
나 아직 너무 서툴렀기에
웃게만 해주고 싶었는데
잘 하고 싶었는데

(So thanks) 이런 날 믿어줘서
이 눈물과 상처들을 감당해줘서
(So thanks) 나의 빛이 돼줘서
화양연화의 그 꽃이 돼줘서

괜찮아 자 하나 둘 셋 하면 잊어
슬픈 기억 모두 지워 내 손을 잡고 웃어
괜찮아 자 하나 둘 셋 하면 잊어
슬픈 기억 모두 지워 서로 손을 잡고 웃어

그래도 좋은 날이 앞으로 많기를
내 말을 믿는다면 하나 둘 셋
믿는다면 하나 둘 셋
그래도 좋은 날이 훨씬 더 많기를
내 말을 믿는다면 하나 둘 셋
믿는다면 하나 둘 셋

믿는다면 하나 둘 셋
믿는다면 하나 둘 셋
믿는다면 하나 둘 셋
믿는다면 둘 셋 say!

괜찮아 자 하나 둘 셋 하면 잊어
슬픈 기억 모두 지워 내 손을 잡고 웃어
괜찮아 자 하나 둘 셋 하면 잊어
슬픈 기억 모두 지워 서로 손을 잡고 웃어

그래도 좋은 날이 앞으로 많기를
내 말을 믿는다면 하나 둘 셋
믿는다면 하나 둘 셋
그래도 좋은 날이 훨씬 더 많기를
내 말을 믿는다면 하나 둘 셋
믿는다면 하나 둘 셋

괜찮아 자 하나 둘 셋 하면 잊어
슬픈 기억 모두 지워 내 손을 잡고 웃어
괜찮아 자 하나 둘 셋 하면 잊어
슬픈 기억 모두 지워 서로 손을 잡고 웃어

Produced by
Slow Rabbit, Pdogg
(Slow Rabbit, Pdogg, "hitman"bang, Rap Monster, j-hope, SUGA)

Keyboard
Slow Rabbit

Synthesizer
Slow Rabbit

Rythme Programing
Pdogg

Vocal Arrangement
Slow Rabbit

Rap Arrangement
Rap Monster, j-hope, SUGA

Chorus
Jung kook

Guitar
정재필

Recording Engineer
Slow Rabbit @ Carrot Express
정우영 @ Big Hit Studio
JUNE @ Imagine World
j-hope @ Hope World

Mix Engineer
Yang Ga @ Big Hit Studio

봄날 4'34" 15

보고 싶다 이렇게 말하니까 더 보고 싶다
너희 사진을 보고 있어도 보고 싶다
너무 야속한 시간 나는 우리가 밉다
이젠 얼굴 한 번 보는 것도 힘들어진 우리가
여긴 온통 겨울 뿐이야 8월에도 겨울이 와
마음은 시간을 달려가네 홀로 남은 설국열차
니 손 잡고 지구 반대편까지 가 겨울을 끝내고파
그리움들이 얼마나 눈처럼 내려야 그 봄날이 올까
Friend

허공을 떠도는 작은 먼지처럼 작은 먼지처럼
날리는 눈이 나라면 조금 더 빨리 네게 닿을 수 있을 텐데

눈꽃이 떨어져요 또 조금씩 멀어져요
보고 싶다
보고 싶다
얼마나 기다려야 또 몇 밤을 더 새워야
널 보게 될까
만나게 될까

추운 겨울 끝을 지나 다시 봄날이 올 때까지
꽃 피울 때까지 그곳에 좀 더 머물러줘
머물러줘

니가 변한 건지 아니면 내가 변한 건지
이 순간 흐르는 시간조차 미워 우리가 변한거지 뭐
모두가 그런 거지 뭐
그래 밉다 니가 넌 떠났지만
단 하루도 너를 잊은 적이 없었지 난
솔직히 보고 싶은데 이만 너를 지울게
그게 널 원망하기보단 덜 아프니까

시린 널 불어내 본다 연기처럼 하얀 연기처럼
말로는 지운다 해도 사실 난 아직
널 보내지 못하는데

눈꽃이 떨어져요 또 조금씩 멀어져요
보고 싶다
보고 싶다
얼마나 기다려야 또 몇 밤을 더 새워야
널 보게 될까
만나게 될까

You know it all You're my best friend
아침은 다시 올 거야
어떤 어둠도 어떤 계절도 영원할 순 없으니까

벚꽃이 피나봐요 이 겨울도 끝이 나요
보고 싶다
보고 싶다
조금만 기다리면 며칠 밤만 더 새우면
만나러 갈게
데리러 갈게

추운 겨울 끝을 지나 다시 봄날이 올 때까지
꽃 피울 때까지 그곳에 좀 더 머물러줘
머물러줘

Produced by Pdogg
(Pdogg, Rap Monster, ADORA, "hitman"bang, Arlissa Ruppert, Peter Ibsen, SUGA)

Keyboard
Pdogg

Synthesizer
Pdogg

Guitar
정재필

Bass
이주영

Chorus
Jung kook, Arlissa Ruppert

Vocal & Rap Arrangement
Pdogg

Recording Engineer
Pdogg @ Dogg Bounce
정우영 @ Big hit studio
Peter Ibsen @ Sky Studios

Mix Engineer
James F. Reynolds @ Schmuzik Studios

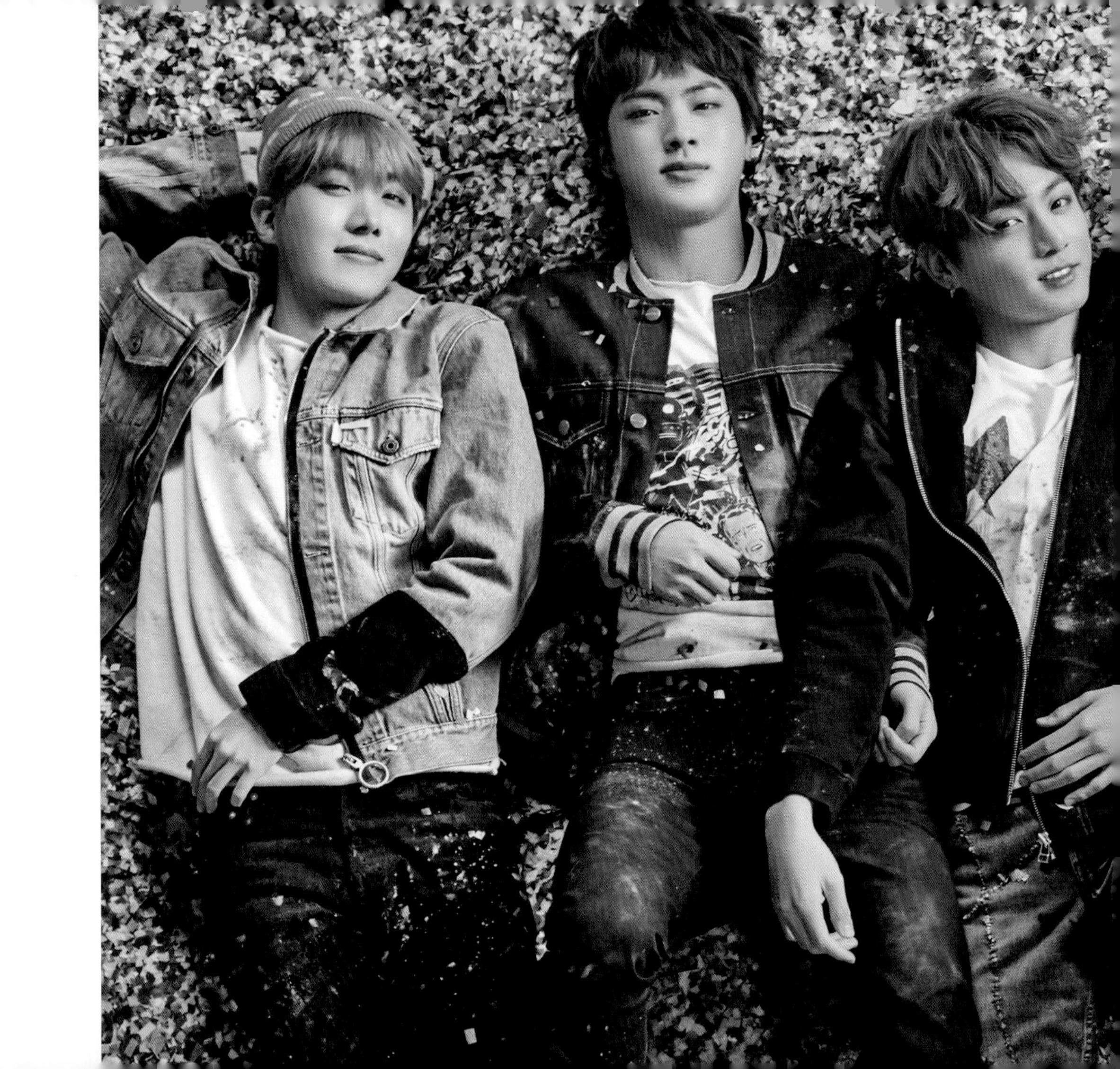

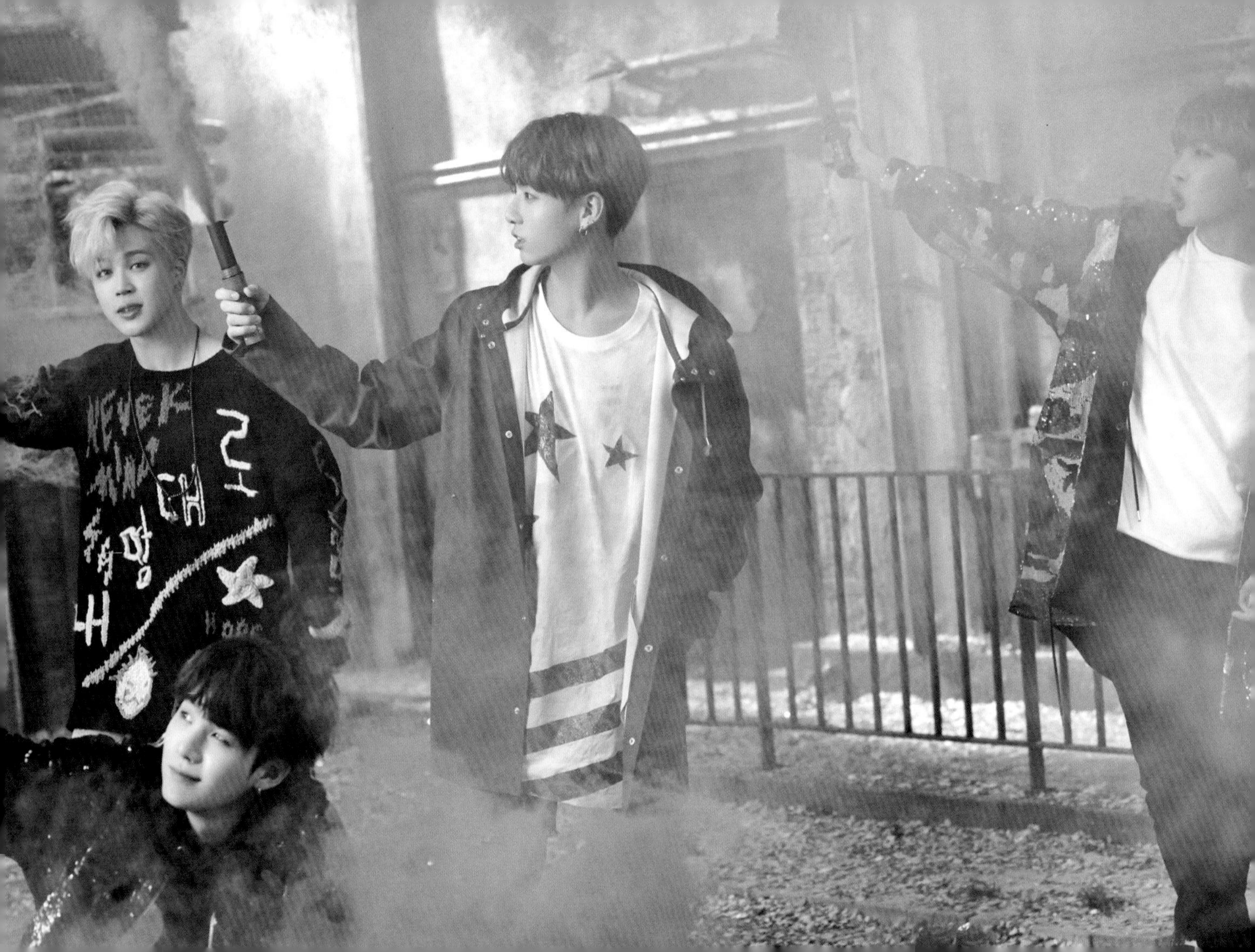

Not Today 3'52" 16

All the underdogs in the world
A day may come when we lose.
But it is not today. Today, we fight!

No, not today 언젠가 꽃은 지겠지
But no, not today 그 때가 오늘은 아니지
No no, not today 아직은 죽기엔
too good day
No no, not today no no no, not today

그래 우리는 EXTRA
But still part of this world
EXTRA + ORDINARY 그것도 별 거 아녀
오늘은 절대 죽지 말아 빛은 어둠을 뚫고 나가
새 세상 너도 원해? Oh baby yes I want it

날아갈 수 없음 뛰어 Today we will survive
뛰어갈 수 없음 걸어 Today we will survive
걸어갈 수 없음 기어 기어서라도 gear up
겨눠 총! 조준! 발사!

Not not today! Not not today!
Hey~ 뱁새들아 다 hands up
Hey~ 친구들아 다 hands up
Hey~ 나를 믿는다면 hands up
총! 조준! 발사!

죽지 않아 묻지 마라 소리 질러 Not not today
꿇지 마라 울지 않아 손을 들어 Not not today
Hey~ Not not today

Hey~ Not not today
Hey~ Not not today
총! 조준! 발사!

Too hot, 성공을 doublin'
Too hot, 차트를 덤블링
Too high, we on 트램펄린
Too high, 누가 좀 멈추길

우린 할 수가 없었단다 실패
서로가 서롤 전부 믿었기에
What you say yeah Not today yeah
오늘은 안 죽어 절대 yeah

너의 곁에 나를 믿어 Together we won't die
나의 곁에 너를 믿어 Together we won't die
함께라는 말을 믿어 방탄이란 걸 믿어
겨눠 총! 조준! 발사!

Not not today! Not not today!
Hey~ 뱁새들아 다 hands up
Hey~ 친구들아 다 hands up
Hey~ 나를 믿는다면 hands up
총! 조준! 발사!
죽지 않아 묻지 마라 소리 질러 Not not today

꿇지 마라 울지 않아 손을 들어 Not not today
Hey~ Not not today
Hey~ Not not today
Hey~ Not not today
총! 조준! 발사!

Throw it up! Throw it up!
니 눈 속의 두려움 따위는 버려
Break it up! Break it up!
널 가두는 유리천장 따윈 부숴
Turn it up! (Turn it up!) Burn it up!
(Burn it up!) 승리의 그 날까지 (fight!)
무릎 꿇지 마 무너지지마 That's (Do) not today!

Not not today! Not not today!
Hey~ 뱁새들아 다 hands up
Hey~ 친구들아 다 hands up
Hey~ 나를 믿는다면 hands up
총! 조준! 발사!

죽지 않아 묻지 마라 소리 질러
Not not today
꿇지 마라 울지 않아 손을 들어
Not not today
Hey~ Not not today
Hey~ Not not today
Hey~ Not not today
총! 조준! 발사!

Produced by
Pdogg
(Pdogg, "hitman"bang, Rap Monster, Supreme Boi, JUNE)

Keyboard
Pdogg

Synthesizer
Pdogg

Chorus
Jung kook, JUNE

Vocal & Rap Arrangement
Pdogg

Recording Engineer
Pdogg @ Dogg Bounce
JUNE @ Imagine World

Mix Engineer
James F. Reynolds @ Schmuzik Studios

Outro : Wings 3'45" 17

Take me to the sky

어릴 적의 날 기억해
큰 걱정이 없었기에
이 작은 깃털이 날개가 될 것이고
그 날개로 날아보게 해줄 거란
믿음, 신념 가득 차 있었어
웃음소리와 함께

(새처럼)
가지 말라는 길을 가고
하지 말라는 일을 하고
원해선 안 될 걸 원하고
또 상처받고, 상처받고
You can call me stupid
그럼 난 그냥 씩 하고 웃지
난 내가 하기 싫은 일로
성공하긴 싫어
난 날 믿어
Word

난 날 믿어 내 등이 아픈 건
날개가 돋기 위함인 걸
날 널 믿어 지금은 미약할지언정
끝은 창대한 비약일 걸
Fly, fly up in the sky

Fly, fly get 'em up high
니가 택한 길이야 새꺄 쫄지 말어
이제 고작 첫 비행인 걸 uh

Take me to the sky
훨훨 날아갈 수 있다면
영영 달아날 수 있다면
If my wings could fly
점점 무거워지는 공기를 뚫고 날아

날아 나 날아 난 날아가
Higher than higher than
Higher than the sky
날아 나 날아 난 날아가
붉게 물든 날개를 힘껏

Spread spread spread my wings
Spread spread spread my wings
Wings are made to fly fly fly
Fly fly fly
If my wings could fly

이제 알겠어
후회하며 늙어 가는 건, break up
나는 택했어
조건 없는 믿음을 가지겠어
it's time to be brave

i'm not afraid
날 믿기에
나 예전과는 다르기에
내가 가는 길에 울지 않고 고개 숙이지 않어
거긴 하늘일 테고 날고 있을 테니까 fly

Spread spread spread my wings
Spread spread spread my wings
Wings are made to fly fly fly
Fly fly fly
If my wings could fly

Produced by
Pdogg
(Pdogg, ADORA, Rap Monster, j-hope, SUGA)

Keyboard
Pdogg

Synthesizer
Pdogg

Chorus
Jung kook, ADORA

Vocal Arrangement
Pdogg, Slow Rabbit

Rap Arrangement
Pdogg

Recording Engineer
Pdogg @ Dogg Bounce
Slow Rabbit @ Carrot Express
j-hope @ Hope World
ADORA @ Adorable Trap

Mix Engineer
김보성 @ Big Hit Studio

Additional Mix Engineer
Pdogg @ Dogg Bounce

A Supplementary Story : You Never Walk Alone 2'36" 18

예 신은 왜 자꾸만 우릴 외롭게 할까 OH NO~
예 상처투성일지라도 웃을 수 있어 함께라면
홀로 걷는 이 길의 끝에
뭐가 있든 발 디뎌볼래
때론 지치고 아파도 괜찮아 니 곁이니까
너와 나 함께라면 웃을 수 있으니까

날고 싶어도 내겐 날개가 없지
BUT 너의 그 손이 내 날개가 돼
어둡고 외로운 것들은 잊어볼래
너와 함께
이 날개는 아픔에서 돋아났지만
빛을 향한 날개야
힘들고 아프더라도
날아갈 수 있다면 날 테야
더는 두렵지 않게
내 손을 잡아줄래
너와 나 함께라면 웃을 수 있으니깐

내가 선택한 길이고
모두 다 내가 만들어낸 운명이라 해도
내가 지은 죄이고 이 모든 생이 내가 치러갈 죗값일
뿐이라 해도
넌 같이 걸어줘 나와 같이 날아줘
하늘 끝까지 손 닿을 수 있도록
이렇게 아파도 너와 나 함께라면 웃을 수 있으니까

Ayy I never walk alone
잡은 너의 손 너의 온기가 느껴져
Ayy you never walk alone
나를 느껴봐 너도 혼자가 아니야

Come on Crawl crawl crawl crawl it like
it like that
Baby Walk walk walk walk it like it like
that
Baby run run run run it like it like that
Baby fly fly fly fly it like it like that

이 길이 또 멀고 험할지라도 함께 해주겠니
넘어지고 때론 다칠지라도 함께 해주겠니

Ayy, I never walk alone
너와 나 함께라면 웃을 수 있으니까
Ayy, You never walk alone
너와 나 함께라면 웃을 수 있으니까

너와 나 함께라면 웃을 수 있으니까

Produced by
Pdogg
(Pdogg, "hitman"bang, Rap Monster, SUGA,
j-hope, Supreme Boi)

Keyboard
Pdogg

Synthesizer
Pdogg

Chorus
Jung kook

Vocal Arrangement
Slow Rabbit

Rap Arrangement
Pdogg, Slow Rabbit

Recording Engineer
Pdogg @ Dogg Bounce,
Slow Rabbit @ Carrot Express

Mix Engineer
Yang Ga @ Big Hit Studio

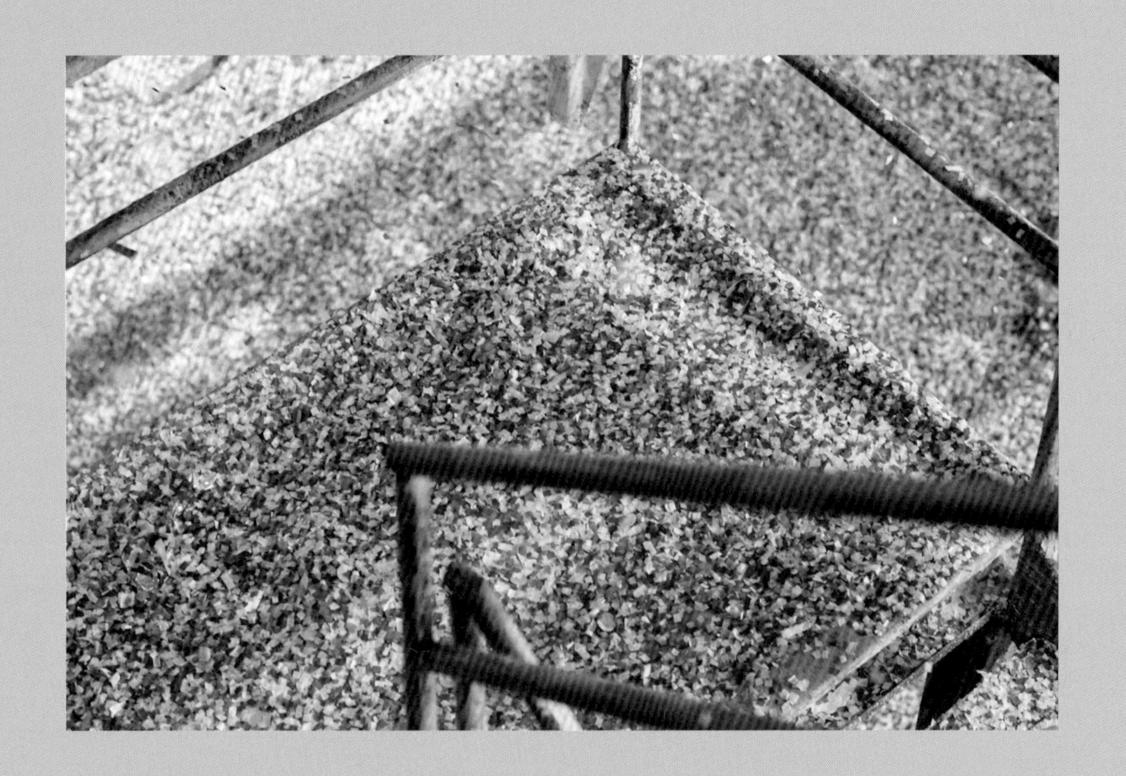

FREEDOM

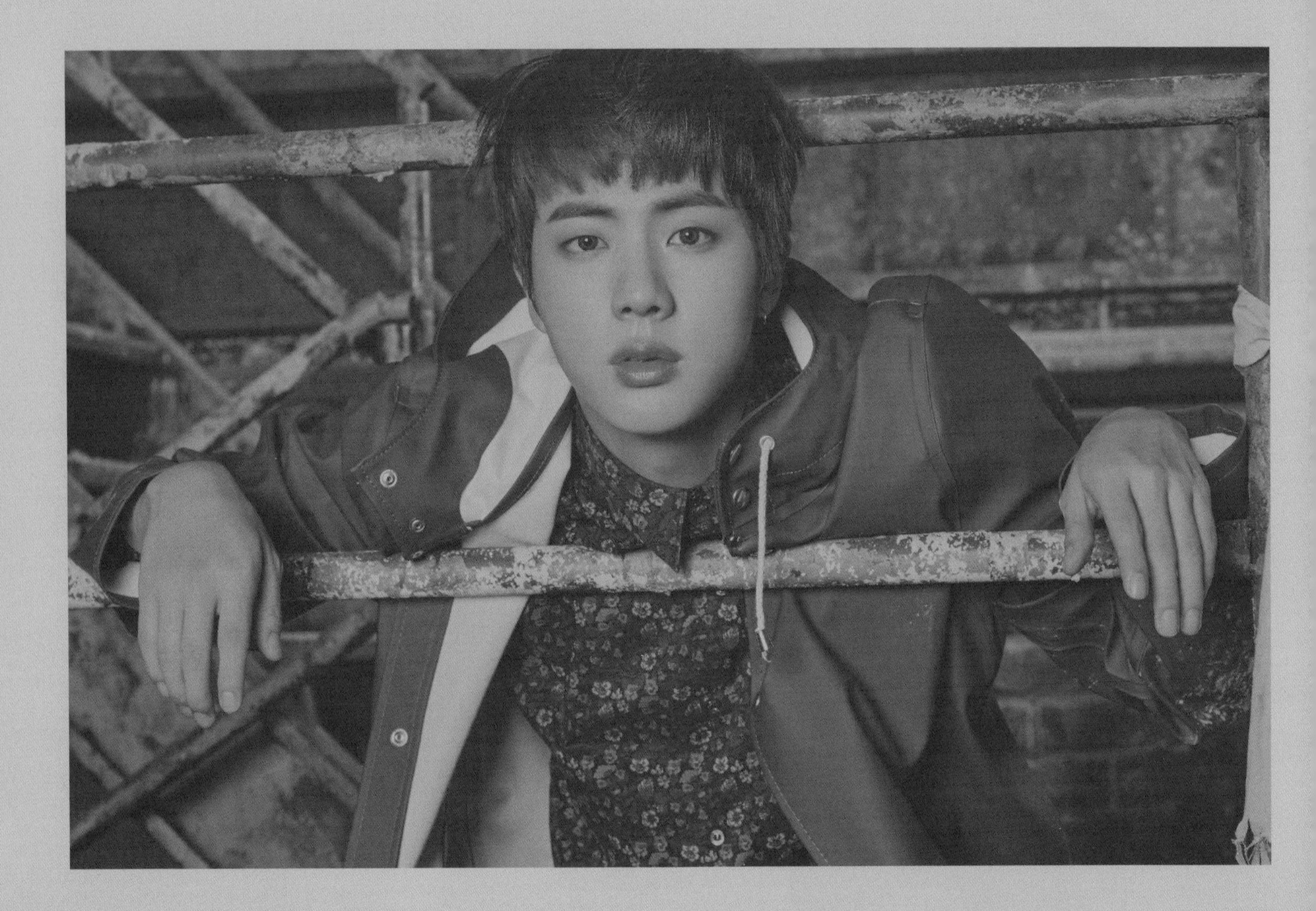

JIN THANKS TO

아빠 엄마 형 짱구 다 같이 외식 한번 갑시다. 짱구도 가자.

그리고 우리 상도 많이 받으시는 방시혁 피디님 정글 본방사수하신 최유정 부사장님 my soul friend 윤석준 이사님 저의 아재 제스쳐의 모토 김신규 이사님 편지마다 영혼이 담긴 채은 이사님. 일본의 이혁 이사님. 항상 지켜봐주셔서 너무 감사합니다.

그리고 우리 호범이형 세진이형 성석이형 정일이형 윤재형 광택님 순학이 현장에서 우리보다 잠도 못자고 고생이 너무 많아요. ㅠㅠ 그런 의미에서 고기 먹으러 갑시다.

우리 컨텐츠 제작해주는 우정누나 수린누나 현지님 분홍님 나엽님 컨텐츠 제작하느라 힘들죠. 피자 먹으러 갑시다!!

그리고 콘서트 담당 하얀님 혜영님 진아님 기획하시느라 항상 밤 새시는데.. 몸에 좋은 장어 먹으러 갑시다.

그리고 유통에 희순님 경진님 글로벌 성호님 효진님 저희와 자주 현장에 계시지는 않지만 다들 힘드신거 알고 있습니다. 회식하세요!!

그리고 비크에 성현이형 현주누나 선경님 가브리엘 형님 역시 자켓이나 뮤비 현장엔 닭강정이죠. 다음 밥차는 닭강정 있는 밥차로 불러주세요.

그리고 주영이형 혼자서 고생이 많으셔요ㅠㅠ 파이팅

성득샘이랑 가현이. ㅋㅋㅋㅋㅋㅋㅋㅋㅋㅋㅋㅋ 마치 목각인형에 영혼을 불어넣듯이 제 춤에 미약한 댄스의 영혼을 집어넣어주셔서 감사합니다.

창원이형이랑 우영님. 녹음실 공기도 좋지 않은데 그럴 땐 삼겹살이죠 고고

주원님 주연님 설희누나 아직 저희가 접하지 못한 소식들을 전해 주셔서 감사해요. 마치 빅히트의 보이지 않는 손 같아요. 슬이누나 유리님 조이님 온누리님 우리 아미들 잘 챙겨줘서 고마워요. 항상 더 좋은 자리 좋은 곳에만 있게 해주세요. 그런 의미로 회식 자주하세여!

그리고 혁기형 은상님 은정님 준호님 저희 아부지의 믿음이 엄청나십니다. 캬 대단하신 분들이야!!

그리고 재동님 정욱님 준수님 현민님. 이름만 들어도 멋지시네요. 앞으로도 잘 부탁드립니다.

그리고 우리 내주실장님 식구들 내주형님 지혜실장님 진영이형 솔직히 제가 잘생긴 것도 있지만 잘생긴 얼굴을 빛나게 해주셔서 감사드립니다.

그리고 다름실장님 식구들 다름실장님 현아님 설지님. 물론 제가 잘생겼지만 잘생긴 얼굴을 조각 만들어줘서 너무 고마워요

그리고 하정 실장님 식구분들. 하정실장님 혜수님 서연님 지은님 물론 제가 잘생겼지만 저의 몸에 날개를 달아줘서 고마워요

그리고 우리 아미 사랑하는 우리 아미 보고 싶은 우리 아미 누구보다 아름다운 우리 아미 보석보다 아름다운 우리 아미 저 하늘의 별보다 아름다운 우리 아미 눈에 넣어도 아프지 않을 우리 아미 좋은 말이란 좋은 말은 다 갖다 붙여도 좋은 우리 아미

항상 우리 너무 좋아해줘서 고맙고 힘든 일도 많고 저희 편 들어주시느라 고생이 많아요. 그 때마다 너무 고맙고 사랑해요. 항상 아미들이 있어서 기분이 너무 좋아요. 제가 긍정적인 성격을 유지하는 데는 '아미효과'가 가장 클거에요 모두 새해 복 많이 받고 언제나 행복하세요. 하트

SUGA THANKS TO

내 삶의 원동력인 가족에게 먼저 감사의 인사드립니다.

항상 멋진 방탄소년단이 되게끔 도와주시는 방시혁 피디님
최유정 부사장님 윤석준 이사님 김신규 이사님 이혁 이사님
채은 이사님 너무 감사드립니다. 데뷔 때와 같은 마음으로
열심히 하겠습니다

묵묵히 우리 뒤를 지켜주시는 호범이형 세진이형 성석이형
정일이형 윤재형 순학이 광택이형 고맙고 사랑해요!!

이번에도 너무 고생한 빅히트 음악팀 피독형 도형이형
동혁이 준상이 창원이형 주영이형 보성이형 우영님 여러분이
대한민국 일등입니다

방탄에게 멋진 날개를 달아주시는 성현이형 현주누나
선경누나 가브리엘형 성득쌤 이번에도 너무 멋진 날개를
달아주셔서 감사합니다

매 순간 방탄을 위해 힘써주시는 우정누나 수린누나 현지누나
분홍님 설희누나 주원님 주연님 조이님 희순팀장님 하얀누나
진아님 경진님 성호님 혜영님 이슬누나 나엽누나 유리님
온누리님 혁기형 은정님 은상님 준호님 재동팀장님 정욱님
준수님 현민님 선정누나 미정누나 승우님 연희님 혜원님
미령님 예지님 너무 감사합니다 덕분에 방탄소년단이 별탈
없이 멋진 활동 할 수 있습니다
진심으로 감사드립니다

스타일팀 하정실장님 혜수님 서연님 멋진 스타일링
감사합니다!

최고의 헤어&메이크업팀 내주실장님 다름실장님 지혜실장님
진영님 현아님 설지님 사람 만들어 주셔서 감사합니다
대한민국 일등 영상팀 룸감독님 현우 감독님 성욱 감독님
이번에도 멋진 영상 찍어주셔서 감사합니다!!!

매 앨범 과분할 정도로 많은 사랑을 주시는 우리 아미!
너무 감사하고 사랑합니다
멋진 음악 멋진 무대로 찾아가겠습니다

사랑합니다!!

RAP MONSTER THANKS TO

나의 부모님, 동생, 몬. 나의 조부모님들, 함께 해주는 친척들께.

방피디님, 유정부사장님, 신규이사님, 석준이사님, 채은이사님, 혁이사님께.

피독형, 성득샘, 도형이형, 동혁, 가현, 준상, 창원이형, 주영이형, 보성이형, 우영님, 호범실장님, 세진이형, 정일이형, 윤재형, 광택이형, 순학이형, 성석 대리님, 성현이형, 현주누나, 선경누나, 가브리엘형, 우정누나, 수린누나, 설희누나, 현지누나, 분홍누나, 슬누나, 나엽누나, 유리님, 조이님, 온누리님, 희순팀장님, 효진님, 하얀누나, 진아님, 주원님, 주연님, 경진님, 성호님, 혜영님, 혁기팀장님, 은정님, 은상님, 준호님, 재동팀장님, 정욱님, 준수님, 현민님, 선정누나, 미정누나, 연희님, 승우님, 혜원님, 예지님, 미령님께.

하정실장님, 혜수님, 서연님, 지은님, 다름실장님, 내주실장님, 현아님, 설지님, 지혜실장님, 진영님, 지민샘, 현덕샘, 진우형, 나의 사랑하는 친구들, 형 누나 동생들께.

방탄과. 무엇보다 모든 아미 A.R.M.Y들께. 이 땡스투를 바칩니다.

사랑합니다. 어디든 마음을 다해 가겠습니다.

J-HOPE THANKS TO

앨범 하나 나올 때마다 고생해주시는 또 노력해주시는 분들이
많습니다 모두 큰 박수 부탁드려요

사랑하는 가족 어무니 아부지 누나 미키

나의 식구 BIGHIT !
방시혁 피디님 최유정 부사장님 윤석준 이사님 김신규 이사님
채은 이사님 이혁이사님

<콘텐츠사업팀>
우정누나 수린누나 분홍누나 현지누나 나업누나
<콘서트사업팀 >
하얀누나 진아누나 혜영누나
<제휴사업팀>
희순형님 경진님 성호형님 효진누나
<VC 팀>
성현이형 현주누나 선경누나 가브리엘 형
<음악제작팀>
주영이형
성득쌤 가현이
창원이형 우영님
<매니지먼트팀>
호범이형 세진이형 정일이형 광택이형 순학쓰 성석이형
윤재형
<커뮤니케이션팀>
주원누나 주연누나 설희누나
슬이누나 유리누나 조이님 박온누리님
<신인개발팀>
선정누나 미정누나 연희님 미령님
<재무회계팀>
혁기형 은정누나 은상이형 준호님
<경영지원팀>
재동님 정욱님 준수님 현민님
프로듀서 팀들
피독형 도형이형 준상이 슈프림보이 고마워요

제이홉을 만들어주시는
staff분들
내주실장님 지혜누나 진영이형 송희누나 소희누나
다름실장님 현아누나 설지님
하정누나 혜수누나 서연누나 은지님 연화님
준수형 그리고 준수형 팀분들 하나 하나 이름 못 남겨 드려서
죄송하고
코피 흘려가며 고생하는 우리 방탄 댄스팀 !! 늘 멋지게
연주해주는 밴드팀

푸마 스마트 비비큐 늘 함께 해여~

정말 몇 없는 내 지인들
진우형 현욱누나
광주에서 고생하는 go 댄스 식구분들
조이댄스 식구분들

저희가 성장할수록 많은 분들께서 더 고생해주시고
노력해주십니다 감사의 인사 드립니다 그 외 못 적은 분들 늘
감사한 마음 잊지 않구 있습니다
감사합니다

그리고 마지막으로 최근 본 영화에서 감명 받았습니다
잊고 싶지 않은 사람 잊으면 안되는 사람
아미!!!
그리고 방탄!!!!
냄쥰 쉭진 융기 쥐민 태흉 저엉국
고맙다
평생 함께 합시다 사랑합니다

저희가 성장할수록 많은 분들께서 더 고생해주시고
노력해주십니다 감사의 인사 드립니다
그 외 못 적은 분들 늘 감사한 마음 잊지 않구 있습니다
감사합니다

FREEDOM

JIMIN THANKS TO

새해를 시작하면서 발매하게 된 이번 앨범에서는 올해도 잘
부탁드린다는 말씀 드리고 싶습니다.
우선 우리 가족들
보고 싶고 옆에서 챙겨주고 싶은데 그러지 못해 미안하고
사랑하는 우리 가족들 항상 사랑한다는 거 잊지 마세요.
항상 고마워요

우리 멤버들 남준이형 석진이형 호석이형 윤기형 태형이
정국이
생각해보니 우리 벌써 5년차로 접어 들었네
항상 느끼지만 항상 옆에 있는 여러분 보면서 힘을 낼 수 있는
것 같아. 참 안 맞는 우리였는데 이제는 진짜 형제들 같다는
생각이 많이 드네.
내가 하는 모든 일들이 다, 더 즐겁게 느낄 수 있게 만들어
주는 여러분들한테 항상 감사하다는 말씀 드리고 싶습니다.
사랑합니다.

방시혁 피디님 유정 부사장님 신규이사님 석준이사님
채은이사님 이혁이사님
호범이형 성석이형 세진이형 정일이형 윤재형 순학이형
광택이형
피독피디님 도형이형 동혁이형 준상이
성득샘 성현이형 현주누나 선경누나 가브리엘형 가현이
주영이형 창원이형 보성이형 우영이형 재동팀장님
우정누나 하얀누나 수린누나 현지누나 분홍누나 혜영누나
희순팀장님 슬이누나 나엽누나 설희누나 진아누나 경진누나
유리누나 온누리누나
성호형님 효진누나 선정누나 미정누나 연희누나 승우형님
혜원님 예지님
혁기형 은정누나 은상형님 준호형님
정욱형님 준수형님 현민형님
주원님 주연님 다이토센세

누구보다 저희 생각을 많이 하고 계실 우리 방시혁피디님을
비롯한 우리 식구 여러분들
밤새 우리 옆에 있어주고 항상 고생이 많은 사랑하는
매니저형들 좋은 컨텐츠를 위해 노력해주시는 우리 피디님들
보이지 않는 곳에서 정말 우리 더 괜찮은 아이들로 보이기
위해 노력해주시는 우리 누나들 형들… 다 너무 고맙고
감사드리고 항상 아프지 말고 우리만큼 우리 보다 더
행복하셨으면 좋겠습니다.
그리고 지금까지 고생 많으셨던 우리 설희누나 보성이형 자주
놀러 오세요 언제든 환영이에요

다름실장님 내주실장님 지혜실장님 진영이형 현아누나
설지님 송희누나 소희누나
하정실장님 혜수누나 서연누나 연화님 지은님

항상 제가 감사하다는 말 자주 못해드려서 맘에 걸렸어요.
가족같이 가까운 분들한테 더 이런 말 잘 해야 하는건데 .
우리랑 같이 밤새고 고생하고 우리 예쁘게 만들어주려고
노력해주시는 우리 형, 누나들 너무너무 사랑하고
감사합니다.
제가 더 잘 할게요~~ 사랑합니다.
룸펜스감독님 현우감독님을 비롯한 가족여러분들 GDW
감독님 김형식작가님 김린용작가님 정석작가님 준수형님
성구작가님을 비롯한 가족 분들 상욱피디님 희나피디님을
비롯한 플랜에이 가족 분들 현정선생님

이제는 회사 식구들만큼 가족같이 생각이 드는데
항상 만들어주시는 멋진 컨텐츠에도 감사하고 있지만 모든
현장에서 우리를 다 편하고 즐겁게 해주시는 것 같아서 더
즐겁게 할 수 있는 것 같아요 올해도 잘 부탁드리겠습니다.

just Dance가족들 내 친구 여러분들 우리 진우형

꼭 이 말을 해주고 싶었는데 옆에 있어주는 것에 항상
감사드리고 있습니다.

내가 아끼고 사랑하는 형님들 티모형 성운형 태민이형
권호형 종인이형
멤버들 만큼이나 보니깐 이런 말 적은 거 보면 민망 할 수도
있지만 형들 덕분에 매일이 즐겁습니다. 이제 막내가 한번
쏘게 해줘. 사랑합니다.

A.R.M.Y여러분

우리 벌써 5년차네요? 시간 엄~청 빠르지 나도 언제 시간이
이렇게 흘렀나 싶어요.
걱정 마요 아직 보여줄 거 한참 남았으니까 이번 앨범을
시작으로 올해를 같이 하게 될 것 같은데 이번 앨범도 즐겁게
시작하면서 올해 즐겁게 보내봐요.
새해 복 많이 받고 아프지 말고 여러분 모두가 행복했으면
좋겠네요. 사랑합니다!

언제나 함께 해 주시는 여러분을 사랑합니다.

지민 올림

V THANKS TO

전 이제부터 땡스투를 사랑하고 감사한 분들께 통째로 편지를 쓰겠습니다. 원래 저 편지 안 쓰는 사람이라 더 감동이실껍니다! 이건 아미 분들을 위한 앨범입니다! 일단 아미 볼 수 있게 해주신 방피디님 유정부사장님 석준이사님 신규이사님 이혁이사님 채은이사님 헿 새해 복 많이 받으시고 올해엔 하루하루 행복하고 건강한 하루되세요. 감사하고 사랑합니다.

아빠 엄마 동생들 사랑함다 종규 군대 잘 다녀와~
사랑하는 우리 매니저형님들 두 번 언급해도 부족한 우리 신규이사님과 호범이형 세진이형 정일이형 성석이형 윤재형 순학이형 광택이형 늘 옆에서 아시죠? 사랑과 사랑으로 보살펴주시는 우리 횽들 하트뿅뿅. 2016년 정말 고생 많으셨고 새해 복 많이 받으세요~~
그리고 그냥 우리가족 우정누나 수린누나 성득쌤 진짜 사랑하고 이런 말썽쟁이 옆에서 진짜 사랑으로 키워주셔서 고맙고 정말 고마워요 우정누나 수린누나 헿 진짜 사랑해요 성득쌤 결혼하시고 나서 인상이나 분위기나 아우라가 너무 달달해지신 거 같습니다. 웃는 모습이 왜 이렇게 달달한 지 신혼생활이 너무 좋으신 거같아요. 이런 우리 성득쌤 데려가주셔서 감사합니다. (꾸벅) 우리 재무회계팀 형님누님들 혁기형 항상 뒤에서 정말 많이 고생해주셔서 감사합니다. 혁기형님 신혼생활 어떠신가요? 행복하신가요!! 전 아미가 있어 행복합니다 으하하하 새해 복 많이 받으세요
비주얼이 비주얼을 만든다 근데 누가 비주얼이죠
우리 비주얼형님 누님들 성현이형 현주누나 선경누나 가브리엘 bro thank u so much sehebokmanee badeusehyo
beautiful make up good hair perfect style
다롱다롱 다름실장님 지혜실장님 내주실장님 현아님 설지님 진영이형 하정누나 혜수누나 서연누나 지은님 아 진짜 너무 사랑합니다. 새해 복 많이 받고 행복한 날만 있으세요!
신인개발팀누나들 사업운영누나들 요즘 많이 못 보지만 그래도 우리 선정누나 미정누나 희순팀장님 항상 보고싶어요 ~~ 새해 복 많이 받으세용

우리 아미 여러분 이랑 좀 더 가까이 좀 더 좀더 좀더 jomthe 가까이 지낼 수 있게 만들어주신 우리 팬마케팅 누나들, 슬누나 경영지원팀 재동팀장님 정욱님 준수님. a&r 창원이형 주영이형 보성이형 우영이형 정말감사하고 새해 복 많이 받으세요!!
우리 누나들 분홍누나 현지누나 늘 현장에서 방탄밤과 방탄사진들을 이쁘게 멋지게 찍어주셔서 감사합니당 하얀누나 늘 열심히 누구보다 더 힘들꺼 같은데도 항상 저희 옆에 있어주셔서 감사합니다.
커뮤니케이션 주원님 주연님, 설희누나 넘 고생하셨어요!
이번에도 우리 룸펜스감독님과 남현우감독님 스탭누나형님들에게 박수를!!! 우오아아아 우리고야 맛난거 먹을 수 있겠다 룸펜스감독님한테 많이 사달라고하렴!!!
나믿고 항상 응원해주고 만나면 내 얘기 들어주고 얘기도 해주는 우리 내 주변 형님 누님 동생 친구들 감사합니다. 좀 더 뿌듯하고 나은 동생과 형과 친구가 될게요. 사랑해요
그리고 모든 국민여러분 올해 2017년 좋은날만 있고 한분 한분 건강하고 의미 깊은 날만 있길 응원하겠습니다.

그리고 우리 마지막 남준 석진 윤기 호석 지민 정국 아미… 세상에서 제일 믿고 의지하며 살아가고 있는데 진짜 이 사람들 땜에 제가 자부심이 커지는 거 같습니다. 더 열심히 하고 더 부지런한 더 멋쟁이가 되는 방탄소년단의 뷔, 김대성씨의 아들 할머니 할아버지 손자 김태형. 늘 옆에 있다 어쩔 수 없는 상황에 먼 곳에서 지켜보시는 거라 많이 힘드실지 몰라도 항상 우리가족. 우리 사랑하는 할아버지 지켜봐주고 챙겨주라. 내가 아직까지 너무 이렇게 할머니를 못보내는 게 너무 힘들지만 나도 노력하고 있으니까 많이 꾹 참고 열심히 하고 우리할머니 손자 이쁜 손자 될 테니까 지켜봐줘요. 복 많이 받고 그 동안 키워주셔서 감사하고 사랑해요

제가 따로 새해문자드렸지만 이렇게 한 번 더 땡스투로 말하는 기회가 있어서 짧게라도 쓰고 싶었어요. 다들 정말 감사하고 사랑합니다! 2017년 시작 파이팅!

JUNG KOOK THANKS TO

사랑하는 엄마 아빠 형 구름이
제가 더 잘 해야 하는데 못 해드리는 것 같아서 죄송해요 항상
고맙고 사랑합니다.
방시혁 피디님
매번 이렇게 감사드리는 말을 전하게 만들어 주셔서
감사드려요 이번에도 노래 너무 좋아요
최유정 부사장님 올바른 길로 인도해주시는 부사장님 항상
감사드립니다.
석준 이사님 같이 미팅할 때 그렇게 설렐 수 없어요 설레게
해주셔서 감사합니다.
신규 이사님 이사님이랑 같이 밥 먹을 때 너무 재밌고
좋습니다. 앞으로도 함께 밥 먹는 날이 많았으면 좋겠어요!
채은 이사님 이사님도 저희를 올바른 길로 나아가게 해주셔서
감사드려요 힘이 많이 됩니다!
호범이 형, 세진이 형, 정일이 형, 순학이 형, 광택이형, 성석이
형, 윤재 형 모든 매니저 형님들 항상 옆에서 아니면 밖에서
저희 위해서 일하시느라 고생 많으십니다. 너무 고맙고 저희가
더 잘할게요!

우정 누나, 수린 누나, 현지 누나, 분홍 누나, 나엽 누나
아미와 저희를 떨어질 수 없게 아미들이 좋아할 수 있는
것들을 많이 만들어 주셔서 감사드려요. 앞으로 더 열심히
할게요! 고생 많으셨어요!
꽃하얀 누나, 진아 누나, 혜영님 투어, 팬미팅, 콘서트 있을 때
그 누구보다도 고생을 많이 하는 사람들! 정말 고마워요
희순이 형, 경진이 누나, 성호 형, 효진님 많이 뵙지는 못
했지만 고생하시는 거 다 압니다. 너무 감사드려요!
성현이 형, 현주 누나, 선경 누나, 가브리엘 형
항상 멋있는 옷을 입게 해주시는 사람들 너무 고생 많았고
앞으로도 더 멋있게 만들어 주세요. 감사드려요!
피독 피디님, 도형이 형, 준상이 형
멋진 곡 파바바바바박 만들어 주셔서 너무 멋지시고
존경스럽습니다. 짱이에요 아주. 빨리 저도 곡 쓸게요 고생
많으셨습니다. 곡 좋아요!

주영이 형 형님 힘드실 텐데 볼 때마다 웃고 계셔서 ㅋㅋ
뒤에서 작업 해주시느라 고생 많으십니다. 감사드려요
혁기 형, 은정님, 은상이 형, 준호 형
데뷔하고 나서 더욱 더 힘과 도움을 많이 주셔서 걱정이
조금씩 없어지는 것 같아요 고마워요!

성득 쌤, 가현이 형 그 누구보다 몸이 힘들고 지치고 아플 텐데
꾸준히 노력해주셔서 감사드려요 정말 고맙습니다!
창원이 형, 우영이 형 저희 곡들을 빛나게 해주시는 형님들
너무 고맙고 앞으로도 화이팅!
주원님, 주연님 많이 못 뵈었지만 힘써주셔서 감사드려요!
화이팅!
설희누나 너무 고생 많았구 앞으로도 좋은 일 가득했으면
좋겠습니다. 수고 많았어요!
슬이 누나, 유리누나, 조이님, 온누리님
아미들에게 사랑을 전할 수 있는 것들을 많이 생각해
내주셔서 감사드립니다. 짱이에요!
선정누나, 연희님, 미령님, 미정누나, 승우님, 혜원님, 예지님
우리에 뒤를 이을 자들을 열심히 키워주시느라 고생이
많으십니다! 화이팅!
재동님, 정욱님, 준수님 많이 못 뵈었지만 항상 수고하고 계신
거 다 압니다. 뽜이야!

현민님 하하 많이 못 뵈었지만 누구보다 열심히 일하시는
거 다 압니다. 화이팅!
하정 실장님, 혜수누나, 서연누나, 지은님
옷 구하시느라 밖에서 걸어 다니면서 많이 힘들고 춥고 했을
텐데 시간 맞춰서 가지고 와주셔서 대단하기도 하고 진짜
고생 많았어요. 너무 고맙습니다.
다름 실장님, 현아 누나, 설지 누나, 소정 누나 저 메이크업
해주신다고 진짜 고생이 많습니다. 더 꿀 피부 될게요 ㅎ
ㅎ 짱이에요!
내주 실장님, 지혜 실장님, 진영이 형, 송희 누나, 세경이 형,
소희누나 제 머릿결 더 멋지게 만들어 주셔서 감사드려요.
앞으로도 잘 부탁드립니다!
룸펜스 감독님 크루 현우 감독님 크루 이번에도 아름다운
작품 만들어 주셔서 감사드립니다. 앞으로도 계속 같이
해요 ㅎㅎ!!
97칭구들 유겸이, 도겸이, 밍규, 뱀이, 명호, 재현이 빨리
만나서 신나게 놀고 싶구나.
진우형 아 진우형 빨리 만나야 하는디 ㅜㅜ 빨리 떡볶이
먹으러 갑시다 ㅋㅋ
민미누나 누나도 같이 밥 먹어야 하는데 ㅜ
제가 방탄이 될 수 있는 길을 만들어주신 분. 정말 고마워요
방탄행님들
우리 점점 더 멋있어 지는 거 같아요. 계속 성장하고 쑥쑥커서
역사의 한 획을 그어봅시다. 방탄방탄 방방탄

♥♥♥♥♥아미♥♥♥♥♥
아미! 저희가 여러분들 또 볼라고 이렇게 찾아왔습니다!
곡을 맘에 들어 했으면 좋겠는데… 좋죠?!
이 앨범을 위해서 또 저희가 수많은 노력을 했습니다!
꾸준히 기다려 주셔서 너무 감사드리고 여러분들 심심하지
않게 계속 성장하고 발전하고 내공을 쌓고 무럭무럭 자라나는
모습을 보여드릴게요
아미 사랑해요!

YOU
NEVER
WALK
ALONE

EXECUTIVE PRODUCER "HITMAN" BANG for BIG HIT ENTERTAINMENT
EXECUTIVE SUPERVISOR NINE CHOI

CHIEF DIRECTOR OF MANAGEMENT 김신규
ARTIST MANAGEMENT 송호범, 김세진, 이성석, 이정일, 김윤재, 박순학, 오광택

CHIEF DIRECTOR OF PRODUCTION & BUSINESS LENZO YOON
CONTENTS BUSINESS TEAM 방우정, 김수린, 인나엽, 길현지, 김분홍
PARTNERSHIP BUSINESS TEAM Dre Park, 강경진, 배성호, 신효진
CONCERT BUSINESS TEAM 박꽃하얀, 권진아, 황혜영

A&R 이주영

CHIEF DIRECTOR OF COMMUNICATIONS 채은
PR 홍주원, 황주연
FAN COMMUNICATION 이슬, 이유리, 조이, 박온누리

CHIEF DIRECTOR OF GLOBAL BUISNESS LEE HYEOK
FINANCIAL TEAM 홍혁기, 이은정, 권은상, 김준호
MANAGEMENT SUPPORT TEAM 임재동, 김정욱, 지준수
TRAINEE DEVELOPMENT TEAM 신선정, 김미정, 이연희, 홍승우, 김혜원, 최미령, 송예지

PRODUCER PDOGG
CO-PRODUCER "HITMAN" BANG

RECORDING ENGINEERS Pdogg @ Dogg Bounce
Slow Rabbit @ Carrot Express
Supreme Boi @ The Supreme Escape
JUNE @ Imagine World
Yang Ga @ Big Hit Studio
정우영 @ Big Hit Studio
Rap Monster @ Mon Studio
SUGA @ Genius Lab
j-hope @ Hope World
DOCSKIM @ HOODCAVE
ADORA @ Adorable Trap
Sam Klempner @ Schmuzik Studios in London
Peter Ibsen @ Sky Studios
노양수, 백경훈 @ Studio T

MASTERING ENGINEER ALEX DEYOUNG @ DEYOUNG MASTERS

VISUAL CREATIVE DIRECTOR 김성현
VISUAL CREATIVE TEAM 이현주, 이선경, Gabriel Cho

PERFORMANCE DIRECTOR 손성득
PERFORMANCE 이가헌

PHOTO 김형식
MUSIC VIDEO_ 봄날 LUMPENS
MUSIC VIDEO_ Not Today GDW

STYLIST 이하정
ASSISTANT STYLIST 김혜수, 이서연, 차연화, 정지은
HAIR 박내주, 김지혜
ASSISTANT HAIR 서진영
MAKE UP 김다름
ASSISTANT MAKE UP 백현아, 이설지
DISTRIBUTION LOEN
ART WORK STUDIO XXX
SYMBOL DESIGN 김철휘 @ VB studio
PRINT ARANA

OFFICIAL WEBSITE http://bts.ibighit.com/
OFFICIAL FACEBOOK https://www.facebook.com/bangtan.official
OFFICIAL TWITTER https://twitter.com/BTS_bighit
BTS TWITTER http://twitter.com/BTS_twt
OFFICIAL YOUTUBE https://www.youtube.com/user/BANGTANTV
OFFICIAL INSTAGRAM https://www.instagram.com/bts.bighitofficial
OFFICIAL WEIBO http://weibo.com/BTSbighit